*獻給信任我的俊良和黎雅格。*

—————— F.P

# 你這麼愛吃

文‧圖｜弗羅希安‧皮傑　譯｜謝蕙心　責任編輯｜陳毓書　美術設計｜林家蓁　行銷企劃｜高嘉吟

發行人｜殷允芃　創辦人兼執行長｜何琦瑜　總經理｜王玉鳳　總監｜張文婷　副總監｜黃雅妮　版權專員｜何晨瑋

出版者｜親子天下股份有限公司　地址｜台北市 104 建國北路一段 96 號 11 樓　電話｜（02）2509-2800　傳真｜（02）2509-2462
網址｜www.parenting.com.tw　讀者服務專線｜（02）2662-0332　週一～週五：09:00~17:30　傳真｜（02）2662-6048
客服信箱｜bill@service.cw.com.tw　法律顧問｜瀛睿兩岸暨創新顧問公司　總經銷｜大和圖書有限公司　電話：（02）8990-2588
出版日期｜2020 年 2 月第一版第一次印行　定價｜260 元　書號｜BKKP0241P　ISBN｜978-957-503-531-0（精裝）

訂購服務 ————————————————
親子天下 Shopping｜shopping.parenting.com.tw　海外‧大量訂購｜parenting@service.cw.com.tw
書香花園｜台北市建國北路二段 6 巷 11 號　電話（02）2506-1635　劃撥帳號｜50331356　親子天下股份有限公司　www.parenting.com.tw

立即購買 >

本書獲法國在台協會《胡品清出版補助計劃》支持出版。/ Cet ouvrage,
publié dans le cadre du Programme d' Aide à la Publication « Hu
Pinching », bénéficie du soutien du Bureau Français de Taipei.

# 你這麼愛吃

文・圖 **弗羅希安・皮傑**

譯 謝蕙心

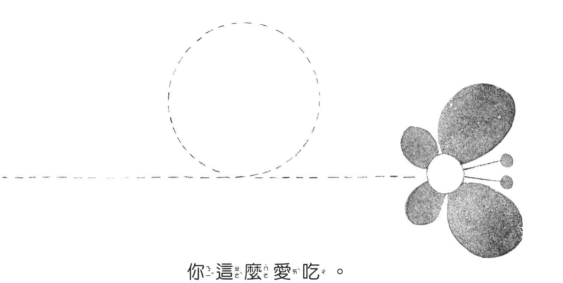

你ㄋㄧˇ這ㄓㄜˋ麼ㄇㄜˊ愛ㄞˋ吃ㄔ。

你ㄋㄧˇ愛ㄞˋ吃ㄔ到ㄉㄠˋ不ㄅㄨˋ放ㄈㄤˋ過ㄍㄨㄛˋ任ㄖㄣˋ何ㄏㄜˊ經ㄐㄧㄥ過ㄍㄨㄛˋ的ㄉㄜ˙東ㄉㄨㄥ西ㄒㄧ。

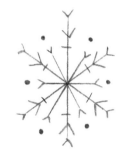

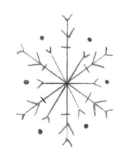
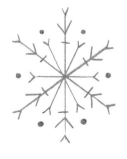

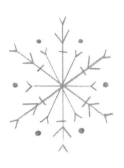

張嘴品嘗一直是你的愛好。

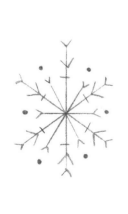

你ㄋㄧˇ想ㄒㄧㄤˇ吃ㄔ的ㄉㄜ常ㄔㄤˊ常ㄔㄤˊ大ㄉㄚˋ到ㄉㄠˋ塞ㄙㄞ不ㄅㄨˋ進ㄐㄧㄣˋ你ㄋㄧˇ的ㄉㄜ肚ㄉㄨˋ子ㄗ⋯⋯。

有ㄧㄡˇ時ㄕˊ候ㄏㄡˋ……你ㄋㄧˇ還ㄏㄞˊ真ㄓㄣ的ㄉㄜˊ什ㄕˊ麼ㄇㄜ都ㄉㄡ吃ㄔ！

你ㄋㄧˇ可ㄎㄜˇ以ㄧˇ花ㄏㄨㄚ好ㄏㄠˇ幾ㄐㄧˇ個ㄍㄜ小ㄒㄧㄠˇ時ㄕˊ等ㄉㄥˇ待ㄉㄞˋ食ㄕˊ物ㄨˋ。

有ㄧㄡˇ時ㄕˊ候ㄏㄡˋ，食ㄕˊ物ㄨˋ還ㄏㄞˊ自ㄗˋ己ㄐㄧˇ走ㄗㄡˇ進ㄐㄧㄣˋ你ㄋㄧˇ的ㄉㄜ嘴ㄗㄨㄟˇ裡ㄌㄧˇ。

你(ㄋㄧˇ)肚(ㄉㄨˋ)子(ㄗˇ)一(ㄧˋ)餓(ㄜˋ)，就(ㄐㄧㄡˋ)變(ㄅㄧㄢˋ)得(ㄉㄜˊ)特(ㄊㄜˋ)別(ㄅㄧㄝˊ)聰(ㄘㄨㄥ)明(ㄇㄧㄥˊ)！

雖然你會犯錯，

但<sub>ㄉㄢˋ</sub>你<sub>ㄋㄧˇ</sub>總<sub>ㄗㄨㄥˇ</sub>是<sub>ㄕˋ</sub>知<sub>ㄓ</sub>道<sub>ㄉㄠˋ</sub>如<sub>ㄖㄨˊ</sub>何<sub>ㄏㄜˊ</sub>
讓<sub>ㄖㄤˋ</sub>別<sub>ㄅㄧㄝˊ</sub>人<sub>ㄖㄣˊ</sub>原<sub>ㄩㄢˊ</sub>諒<sub>ㄌㄧㄤˋ</sub>你<sub>ㄋㄧˇ</sub>，

甚ㄕㄣˊ至ㄓˋ和ㄏㄜˊ朋ㄆㄥˊ友ㄧㄡˇ的ㄉㄜ˙感ㄍㄢˇ情ㄑㄧㄥˊ越ㄩㄝˋ來ㄌㄞˊ越ㄩㄝˋ好ㄏㄠˇ。

雖然你這麼愛吃， 但你也熱愛分享！